Irene Bal

DE FERDWÛNE FIBULA

DE AVENTOEREN FAN DAAM EN FERHIPKE

FRIESE PERS BOEKERIJ

Dizze útjefte kaam ta stân mei stipe fan de Provinsje Fryslân en de Douwe Kalma Stifting

ISBN 978 90 330 0650 0
NUR 282/524

Fryske oersetting: Liuwe Westra, Lollum
Yllustraasjes: Fréderike Breugem, Rotterdam
Omslachûntwerp: De Vries & Luiks, Ljouwert
Foarmjouwing: Peter Slager, Garage, Kampen

www.friesepersboekerij.nl

Ynhâld

Op fekânsje

'Wy sille dit jier op fekânsje nei Wini Walda Haim,' seit mem Pyn by it moarnsiten tsjin har twillingen, Daam en Ferhipke. 'Wini Walda Watding?' freget Daam mei de mûle fol hagelslach. 'Heart as: Willy Wonka,' fynt Ferhipke. Daam skopt har ûnder de tafel tsjin 'e skinen. 'Doch net sa stom.'

'Wini Walda Haim,' fertelt mem. 'Dat is in doarp dêr't lang lyn in echte kening wenne hat.' Mem wit soks. Se wit in hiele protte. Mem wurket op in reisburo. Se sit jûns altyd te boeklêzen oer al dy nijsgjirrige dingen dy't oeral barre.

In kening. Dat fine de twillingen wol spannend. 'Hoe hjit er?' freget Ferhipke. 'Finn.' 'Kening Finn.'

'En wy útfanhúzje yn it Slotsje.

Dat is in grut âld hûs dat leech stiet. Wy meie it yn 'e simmer fjouwer wike hiere. Der steane gjin meubels yn, dat wy nimme gewoan de kampeardingen mei. Wy kampearje mei in echt dak boppe de holle. Yn in echt spoekhûs!'

'Is der dan in souder yn dat hûs?' Ferhipke fynt, in hûs sûnder souder is gjin spoekhûs. Spoeken húsmanje op souders. Spoeken komme soms de kreakjende trep ôf om bern kjel te meitsjen. Mar se wenje boppe, dêr't net ien se sjocht. Dêr beare se soms hiel yslik troch de skoarstien. 'Oehûûû!!'

It liket Ferhipke goed ta. Mar Daam wit it noch net rjocht. Hy tinkt fral oan spinnen as er oan tsjustere gatten tinkt. Daam boartet leaver bûtendoar. Ferhipke sjocht tsjustere herntsjes foar

har dêr't geheime gongen op
útkomme. Se fantasearret oer
in souder fol mei keningen,
prinsessen en draken.

Op skoalle yn it rûntepetear fertelt
se hûndert út. 'Wy sille dit jier op
fekânsje nei in echt keninkryk. It
hjit fan Wiwaldavia of sa. En wy
komme te wenjen yn in kastiel mei
in echte slotgrêft. Dy't op besite
komme wol, moat earst wachtsje
oant de slotbrêge delkomt. Yn 'e
grêft húsmanje meunsters dy't ús
beskermje. En jûns wiuw ik mei in
bûsdoek út it soudersrút wei nei
alle minsken ûnder.'

Juf laket. 'Dat heart mar goed,' seit
se. 'Ik bin no al benijd nei dyn
ferhalen ast weromkomst.'

Yn 'e mist

Heit Daan, mem Pyn en de bern binne ûnderweis. Heit hat in lyts paadsje binnentroch fûn. Dêr fynt er mear oan as de grutte dyk. 'Sa sjocht men nochris wat,' seit er.

No, safolle sjogge se net. It is dizenich. Heit moat stadiger ride as oars, mar dat ferjit er wolris. Der hinget in lome simmerdize oer it fjild.

Mem wiist nei moaie âlde pleatsen, dy't heimsinnich yn 'e weagjende wolken lizze. De bern stekke de holle ta it rútsje út en snuve de lekkere boerebûtenlucht op.

Der steane kij yn it lân. De dize leit oer de ûnderkant fan 'e poaten. 'Sjochris,' gibelet Ferhipke. 'Dy kij rinne net, dy driuwe troch it lân!'

Se binne der hast.
'O sjoch, dêr is it Slotsje!' seit mem en se wiist skean foarút. Yn 'e mist sjogge se in heech grut hûs oprizen. It hat wol wat fan in spoekhûs en wol wat fan in kastiel! Heit sjocht ek. Mar dêr is ynienen in bocht! Heit raamt oan it stjoer. 'Hâld jim beet!' ropt er. Hy nimt de bocht hiel skerp. Fierstente skerp. Daam en Ferhipke sitte nei it Slotsje te sjen en hâlde har net beet.

Dan giet it ynienen hiel hurd. Ferhipke fielt dat se troch de skerpe bocht dy't de auto makket, hurd nei de sydkant ta skoot. Se kin it net keare. Se floept wûpsty troch it iepen rút nei bûten ta. Daam jout in gjalp en sjit efter har oan. Samar! Se fleane troch de loft, rjocht op in apart grut boerd ôf mei gatten deryn. Ien foar ien, lyk efter elkoar oan, slingerje se

It ljocht komt fan in fjoer, dêr't mannen omhinne sitte. Se sjogge der lulk en wyld en woest út. Hoeden slûpe de bern tichterby.

Se ferstopje har efter in beam. 'Ik fyn it mar aaklik,' lústeret Ferhipke. 'Sst,' lústeret Daam.

De mannen prate mei elkoar, mei rûge, wrede, aaklike stimmen. Yn 'e mist heart alles noch aakliker. Ien man hat it wurd en it wjerwurd. Dat is grif de baas fan 't spul. Syn falsk lûd klinkt troch de bosk: 'De kening wol dat wy twa farrensbakken foar him bouwe. Dêr hat er grif ferlet fan om al syn bliidmakkersdingen yn mei te nimmen op reis. Mar ik haw myn nocht. Hy jout al dat moaie guod wei, der bliuwt foar ús neat oer. Wy, syn trouwe tsjinners, wy krije neat! En wy hawwe dochs altiten hurd foar de kening wurke!'

De oare woeste mannen grommelje fan 'sa is 't'. Mei in falsk gnyske giet de oanfierder fierder.

'Dêrom haw ik it moaiste bliidmakkersding sels mar eefkes pikt! Keninginne har fibula!'

De mannen hâlde de siken yn. De fibula! De haadman meneuvelet yn 'e jas en lit wat sjen. De mannen jûchheie en sette it op in dûnsjen en sjongen.

It moaiste bliidmakkersding is foar
ús
Is foar ús, is foar ús
It moaiste bliidmakkersding is foar
ús
En dat is sa't it heart!

Keninginne fisket efter 't net
Efter 't net, efter 't net
Keninginne fisket efter 't net
Har wille, dy bedjert!

De haadman hâldt wat boppe de holle en de manlju dûnsje om him hinne, wylst se mei har wrede stimmen allegear net sokke aardige dingen oer de keninginne sjonge.

Daam en Ferhipke digerje en besykje om te sjen wat de man boppe de holle hâldt. Se sjogge wat glinsterjen. Ferhipke himet: 'Sjochris, Daam, wat moai!' Se sjogge in grutte spjelde, sa grut as in hân. Fan goud en read en allegearre kleuren. Dat is dus in fibula.

Daam fynt it ek moai mar Ferhipke is der hielendal sljocht fan. Se ferjit dat se bang wie en stiet stil fan bewûndering te sjen.

'Mar ja,' seit Daam dan, 'dy man hat him wol stellen!' Dat is sa. Dy strûkrôver hat dat prachtich sieraad gewoan pikt! Daam lûkt Ferhipke mei, fierder by dy woeste mannen wei.

'Ferhip, witsto wat bliidmakkersdingen binne?' 'Meskien dingen dêr't jo in oar bliid mei meitsje,' riedt Ferhipke, 'krekt as presintsjes? Soe dat moaie ding in presint wêze?' 'Ja, dat koe bêst,' fynt Daam. 'Mar wat is dan in farrensbak?'

'Gjin aan fan,' seit Ferhipke.

Farrensbak, de kening hat twa farrensbakken nedich om syn bliidmakkersdingen yn te dwaan as er op reis giet. Dat seine se.

'Meskien in koffer?' riedt Ferhipke. 'Farrens is as 't treft wol fier. Fan op reis om fierrens. En in bak is fansels gewoan in bak.'

Ja, dat sil 't wol, in koffer. In bak om al dyn dingen yn te dwaan, ast om fierrens giest.

Daam en Ferhipke slûpe fierder. Se tinke der goed om dat de rôvers har net sjogge. Want dy strûkrôvers binne wol aaklik. Dat fynt Daam ek. Dy meie net fernimme dat der twa bern yn 'e bosk binne. As se wat fan 'e kening doarre te stellen, dan wit men noait wat se mei twa bern doarre te dwaan. Hú!

De bern rinne en rinne en rinne. It is in grutte bosk mei grouwe wylgen en ikebeammen. Tusken de hege beammen steane strûken. Ferhipke sjocht in flearebeam. Yn har eigen tún stiet ek in flear. Dy hat sokke aardige blommen. Dêr kin men ranje fan meitsje. Nei in hiel skoft hâldt de bosk op. Oan 'e lofterkant sjogge de bern de see. Dy is tichtby. Se mienden dat it noch in healoerke fytsen wêze soe. Mem hie sein dat se fytsen hiere soene om in kear nei de see ta. Wat apart!

Rjocht foarút yn 'e fierte sjogge se huzen. Op in oar plak as dat se tochten. Ek al sa apart!

Se sjogge in rûnte fan lytse

húskes. Platte, smûke húskes mei
lytse reiden dakken. Se hawwe
gjin skoarstien mar al in gat yn 'e
midden. Ut dat gat komt reek. Der
wenje minsken, en se binne dus
thús!

Ynienen huverje de bern. Wat soe
dat fijn wêze, om no eefkes lekker
by it fjoer te sitten!

Yn 'e midden, tusken de lytse
platte húskes, stiet in grutter,
heger hûs. Om de huzen hinne, yn
it fjild, steane lege boskjes dêr't de
wyn sêft trochhinne rûst. Hjir en
dêr grynt in ko. Men heart de skiep
bletterjen en de hûnen byljen.

Der is wat te rêden yn it grutte
hûs. Der komme allegear frjemde
lûden wei. De bern rinne derhinne.
Se ferstopje har en besykje om út
te finen wat der te rêden is.

De fertrietlike keninginne

Yn it grutte hûs is alles yn touwen. Minsken fleane deryn en komme eefkes letter wer nei bûten ta. Se nimme sêfte waarme doeken mei en komkes dêr't lekkere rookjes ôf komme.

Se rinne nei de efterkant fan it hûs. Dêr leit in heuvel. Dêr bringe se it guod hinne, tink. Want eefkes letter komme se wer werom mei neat mear yn 'e hannen.

Wat is dêr efter op dy heuvel te rêden? In feestje as 't treft?

Daam en Ferhipke rinne hoeden dat út fan 'e heuvel. Der steane beammen op 'e heuvel. Yn 'e midden is in iepen rûnte. Dêr sjogge se in frommeske op 'e knibbels op 'e grûn lizzen. Om har hinne steane bekers en leit allegear lekker rûkersguod en moaie dingen. Alle snypsnaren lizze yn in lytse rûnte en de frou leit yn 'e midden.

It is gjin feestje. Alhielendal net. It frommeske kryt alderearmhertichst en tuskentroch seit se hieltiten wat. Lûd krite en preuvelje. Lûd krite en preuvelje. Dat giet sa mar troch. Wat se krekt seit, is net sa goed te ferstean. Dat komt fansels fan al dat gûlen.

Dit is wol hiel begrutlik! Daam rint nei foaren, op 'e frou ôf. 'Sjoch út!' systeret Ferhipke, mar Daam trapet bedaard fierder. Hy kin der net oer as ien gûle moat. Dat wit Ferhipke ek wol. As sy skriemt, helpt er har ek altiten.

Hoeden rint Daam troch de rûnte fan snypsnaren. Hy tinkt der goed om dat er nerges op stapt. Súntsjes tikket er de frou op it skouder. Se sjocht op.

Daam sjocht in leaf mar hiel, hiel fertrietlik gesicht. De frou hat swarte halen oer it gesicht. Daam wit wat dat is. Utrûne maskara. Dat hat er ek sjoen doe't mem in kear gûle moast. De frou hat prachtige reade lange krollen. Mar no sit alles wyld en yn 'e tiis. Se hat in rare skuorde juten mantel oan dy't grif slim jokket. Om de frou hinne lizze allegear lytse wollige plukjes, fan 'e mantel ôfdraaid. Dat dochst wolris ast slim senuwachtich bist. Dan begjinst samar plukjes fan dyn trui ôf te draaien. Der is grif wat slims te rêden!

Op dy rare mantel sit in rustige spjelde, dêr't Daam hieltiten nei sjen moat. Wat is der dochs mei dy spjelde? Hy hat it gefoel dat er dy ken. Mar hy wit net wêrfan.

Daam siket al syn moed byinoar. 'Wat is deroan? Wêr moatte jo om gûle?'

It frommeske komt oerein en sjocht Daam oan. Dan giet se sitten en wiist mei de hân dat Daam neist har komme mei te sitten. It past mar krekt, yn dy rûnte fan dinkjes. De frou begjint te praten. Se hat in moai sêft lûd. It is krekt as sjongt se.

'Der is wat hiel, hiel freesliks bard. Ik bin keninginne Ingela, de keninginne fan Wini Walda Haim. Dat kinst sjen omdat ik in spesjale keninginnespjelde haw. Dy spjelde hjit hiel deftich fan fibula. Dêr doch ik myn mantel mei ticht. Net ien yn 'e hiele wrâld hat sa'n moaie fibula as my. Guon minsken sizze dat der yn Ingelân in keninginne is mei krekt sa'n moaie fibula. Mar dat kin net. Dizze is moaier.'

Eefkes ljochtsje de griene eagen fan de kreaze frou op, as se dat seit. Daam sjocht it en hy wurdt der hielendal waarm fan. Mar nije triennen wâlje yn har eagen op en se praat fertrietlik fierder.

'En no is myn spesjale keninginnespjelde, myn moaie fibula fuort! Ik bin him kwyt! Poater!'

De ferdwûne fibula

De fibula fan 'e keninginne is fuort! Dêrom is se sa mismoedich!

'Sûnder fibula kin ik gjin keninginne bliuwe. Want de fibula jout my tsjoenderskrêft. Dêrtroch bin ik keninginne. Sûnder de krêft fan de fibula bin ik neat. Dêrom haw ik no myn meast ûnsjogge mantel om dien en myn raarste en âldste fibula opspjelde.'

Daam wurdt kjel. Wat slim!

Gûlend en mei triljende hannen lûkt de leave frou de mantel tichter om har hinne. Se strykt eefkes mei de hân oer de rustige izeren fibula op har mantel.

Daam fynt it hiel fertrietlik mar hy begrypt it noch net rjocht. 'Wêrom hawwe jo al dy moaie dingen hjir yn 'e rûnte om jo hinne te stean?' freget er. 'Dat is ek allegear tsjoendersark,' snokt se. 'Se treastgje as jo hiel slim fertrietlik

binne.' 'Soms,' seit se der dan efteroan.

Daam sjocht nochris nei dy spjelde. Tagelyk heart er Ferhipke efter him hippen en roppen. 'Daam, dat is deselde spjelde as dy moaie yn 'e bosk,' ropt se.

Daam sjocht it ek. It is krekt deselde fibula, allinnich dizze is fan izer en hy is ferrustke. Dy yn 'e bosk wie fan goud mei allegear moaie kleuren.

'Keninginne Ingela, is jo fibula faaks fan goud?' freget er.

De keninginne leit alwer op 'e knibbels te kriten. Snokkend knikt se fan ja. Fan goud, wêr oars fan? Hja is dochs keninginne? Se begrypt wol dat dy twa bern it goed mei har miene, mar se hie dochs leaver dat se mar fuortgongen. Dat se har allinnich lieten mei har fertriet, yn stee fan sokke sleauwe fragen te stellen.

Daam stapt hoeden oer de arkjes hinne. Hy stiet no bûten de rûnte. Hy giet op 'e knibbels sitten. Rjocht foar keninginne Ingela, dat er har

oansjen kin. 'Sit der ek read en grien yn?' Hoopfol sjocht Daam de keninginne oan.

Dat helpt al. Keninginne Ingela sjocht op. Troch de triennen hinne steane har kreaze eagen nijsgjirrich. Daam sjocht it en krijt wer moed. No fjurret er sa hurd as er kin in hiele boel fragen op har ôf.

'Is der in boppest en in ûnderst?'

'Is it boppestik fjouwerkant?'

'Krollet it ûnderstik om?'

'Is der in tuskeneintsje dat hielendal rûn is?'

Daam krijt der in reade holle fan. Hy wol sa freeslike graach helpe! Dat de keninginne net mear hoecht te gûlen!

Dan bart it. Keninginne Ingela faget de triennen ôf.

'Hoe bedoelste? It liket wol as kensto myn fibula! Witste soms wêr't er is?'

'Ja!' ropt Daam en hy ljept wer yn 'e rûnte. De keninginne heint him op en hâldt him goed beet. Hy fertelt oer de mannen yn 'e bosk.

Ferhipke hipt as in fûgeltsje op en del en falt har broer hieltiten yn 'e mûle. Mar dy lit him net fan it stik bringe.
'Dy mannen hawwe it moaiste bliidmakkersding pikt. Dat seine se sels! Wy wisten net dat it de keninginne harres wie, mar wy hawwe it wol sjoen, want hy hold it omheech. Doe begûnen alle manlju te dûnsjen en hiel stom te sjongen.'

Keninginne Ingela sjocht no hiel bliid. Se faget de triennen ôf en mei Daam en Ferhipke springt se deroer.

Eefkes letter krijt se Daam beet en se seit: 'Wy moatte no fuort nei it Hege Hûs, it nijs fertelle.' Hiel hoeden tilt keninginne Ingela Daam út 'e rûnte fan snypsnaren wei. Se tilt ek har eigen mantel op dat se nerges tsjinoan stjit. Se krijt beide bern by de hân en draaft nei it grutte hûs midden tusken de oare huzen.

22

Yn it Hege Hûs

Yn it Hege Hûs wurde de bern ûnthelle as bysûndere gasten. Se meie oan tafel sitte mei de kening en de keninginne. De kening is krekt sa'n woest man as de mannen yn 'e bosk. En hy is noch grutter! Allinnich hy hat in kroan op 'e holle, dat skeelt. No ja, in kroan ... it is mear in hierbân. Mar wol in goudene. Yn har hert binne de bern in bytsje bang fan him.

Keninginne Ingela helpt se. Se leit út: 'De kening liket wol in wyldeman mar it is in grutte pop.' Se krûpt him eefkes oan. 'Hy bringt my alle moarnen waarme molke op bêd!' Se praat fierder:

'Sit der no mar net oer yn. Jim binne no ús gasten. En dat betsjut dat jim altiten beskerme wurde. Der mei jim neat oerkomme. Wy beskermje jimme krekt as wiene jimme ús eigen bern.'

Keninginne Ingela leit út hoe wichtich oft gasten binne. As in gast wat oerkomt, is de kening fuortendaliks gjin kening mear. Want dan komt him itselde oer!

Tsjonge!

Nuvere letters

Daam en Ferhipke sitte mei de kening en de keninginne by in hearlik fjurke. Oan 'e muorre hingje toartsen, dat binne de ljochten. Yn 'e hoeke stiet in prachtich fersierd skyld. Dêrnjonken stiet in swurd rjochtop. Ek al sa moai fersierd. It fûnkelet en skitteret fan alle jewielen dy't derop sitte. Oan 'e muorre hinget in boerd. Dêr steane moaie bekers op. Ingela krijt der fjouwer ôf. Se jit wat feestlik drinken yn. 'Dochs gjin prik, wol?' freget Ferhipke. 'Wês net sa'n ûnfetsoen,' fûteret Daam sunich. Mar gelokkich, der sit yndied gjin prik yn.

Ferhipke sjocht nei har beker. Se falt suver fan 'e stoel fan ferheardens. 'Daam, sjoch ris wat hjir stiet!' Se wiist nei de foarkant fan har tsjelke. Yn frjemde letters stiet dêr:

Foar Hipi! Dat liket wol hiel bot op Fer Hipke! Soe dat oer har gean? 'Doch net sa nuver,' seit Daam. 'Drink no mar gewoan op!'

Mar Ferhipke is nijsgjirrich. 'Keninginne Ingela,' freget se, 'wat is Hipi? Is dat meskien itselde as Ferhipke?'

'Dêr stiet net fan Hipi mar fan Hiwi,' fertelt keninginne Ingela. 'Dat binne gjin gewoane letters, mar runen. Sa skriuwe wy. It liket wol op Hipi mar wy sizze fan Hiwi.'

'Hipi, Hiwi dus, betsjut oermem. De tsjelke is foar de oermem. Dat bin ik. As men keninginne is, is men tagelyk ek oermem. Inkeld de keninginne mei út dizze beker drinke. Mar hjoed meisto derút drinke. Omdatsto fan Ferhipke hjitst. Mar allinnich hjoed, hear! En meist it oan net ien fertelle!'

Oermem. Ferhipke wit net krekt wat dat is. Se wit wol wat in oerwâld is, mar in oermem, dêr hat se noch noait fan heard.

'Wat is in oermem, keninginne Ingela?'

'Alle keninginnen binne tagelyk oermem. De mem foar allegearre. Ik moat foar elk soargje dy't ferlet hat fan wat. Bygelyks as in bern gjin âlden mear hat. Dan komt dy by my yn 'e hûs te wenjen. Ik bring him grut as wie it myn eigen bern. Of as ien siik is. Dan waskje ik him. Ik baarn krûden, en sjong lieten. Ik stryk de sike oer de holle. Sân kear. En noch in kear sân kear. Dat komt hiel krekt. De manlju klopje de hûden út, want dat is my te swier. Ek twaris sân kear. Dat helpt. En ik moat ek foar de hillige feesten soargje.'

'Mar al dy dingen falle noch net ta. Jo hawwe der spesjale krêften ta nedich. En dy krije jo fan 'e fibula. Dêrom is it sa alderfreeslikst dat er fuort is.'

Kening Finn is wilens fuortset. Bûten it Hege Hûs praat er mei fiif sterke mannen. As er klear is, komt er werom. 'Ingelaleaf, it is tiid om ôfskied te nimmen,' seit er.

Ingela spat oerein. 'Ofskied?'

stammeret se. Se lûkt wyt wei.
'Myn fibula bin ik al kwyt. En no
giesto ek noch fuort?'

'Ja, wy geane op jacht. Efter
de rôvers fan 'e fibula
oan. Ik wol en ik sil him
weromfine. Oars kieze de
minsken aansen noch
in oare keninginne.
Dat moat net! Do
bist myn leafste
keninginne!'

'O Finn, tink der dochs goed om.
Asjeblyft.' Ingela hâldt Finn syn
hân fêst. 'Der binne in protte
gefaren ast op reis bist. Tink der
mar goed om.' Finn seit it ta. Hy
jout Ingela noch in lêste tút en dat
set er ôf.

Freontsjes yn it doarp

De twillingen meie net wurkje. Dat heart by it gast wêzen. Mar as de bern út 'e buorren klear binne mei harren wurk, boartsje se op it plein. Dan dogge Daam en Ferhipke mei.

Se kinne al in moai protsje bern. Machtild mei de lange frissels. Dat is in grut fanke. Se soarget altyd tige foar de lytskes.

En Luva mei it swarte hier. Luva hat altiten in moaie blauwe hierbân om. Dy hat se fan har mem krige en alle bern binne der jeloersk op. Se laket in protte en dêr mei Ferhipke graach oer. Luva is Ferhipke har boartersmaatsje wurden.

En krollekop Addi, dat is in jonge fan seis mei in grou rûn liif.

En grutte Goto. Dy is hast like grut as Machtild. Mar lytse bern fynt Goto neat oan. Hy wol folle leaver beamkeklimme, of feedriuwe. Hy wol skielk krekt sa'n goeie feedriuwer wurde as syn heit.

En dan is Hiddo der ek noch. Hiddo is Daam syn kammeraat wurden. Hy is sawat like grut as Daam en hy kin ôfgryslike goed hurddrave. Daam en hy dogge faak eefkes om it hurdst. Daam is op skoalle de bêste mei hurddraven, mar hy kin it suver noait fan Hiddo winne!

Daam en Ferhipke hawwe it mar goed, yn it doarp. As de oare bern wurkje, geane se op 'e sneup. Se ûntdekke allegear spannende plakjes. Mar nei de bosk ta doarre se net. Salang't kening Finn de rôvers noch net fongen hat, bliuwe se dêr leaver wei.

It doarp leit oan see. De see is fuortby. Dêr doarre se wol hinne.

Der is ek in plak dêr't boaten oanlizze. Grutte boaten. Lju út oare lannen bringe waar yn har boaten mei. En de lju fan Wini Walda Haim bringe hûden en wolle nei oare lannen ta. 'Dat is in haven,' wit Daam.

De haven is fan hout. It is in bousel mei allegearre stegers. De iene steger is wat leger, de folgjende is wer heger. Der is ek ien hiele hegen.

De see komt alle dagen twa kear omheech. Omheech en omleech, omheech en wer omleech. Alle dagen. As de see soms heech komt, kin men al oan in hege steger oanlizze, mar net oan in legenien. Dy stiet dan ûnder wetter! Dêrom binne guon stegers leech en oaren heech.

Under al dy stegers is in grutte tsjustere romte. Hearst it wetter dêrûnder polskjen mar kinst neat sjen. It is der roettsjuster.

Daam en Ferhipke sitte graach oan 'e haven. Dreamerich sitte se te betinken hoe't seemeunsters derút sjogge. Of it lân oarekant de see.

In meunster mei sân koppen

De twillingen sitte oan 'e haven oer de see te digerjen. Alle bern binne it fjild yn stjoerd want der komt hiel heech wetter. Sa heech dat it fjild derûnder strûpt. En dêr weidet it fee. De kij en de skiep moatte gau fan it lân ôf helle. De bern drave en raze wylst se de bisten by elkoar driuwe. Se hawwe wille as wetter.

Mar Daam en Ferhipke ferfele har mar. Earst fûnen se it wakker moai om gast te wêzen. Mar se wolle ek wolris mei de oare bern op aventoer. Dat mei net. 'Gast, gast,' fûteret Ferhipke. 'Ik wol gjin gast mear wêze! Wy meie hielendal neat!' Daam fynt it ek mar in deade boel sa. Mar ja.

Ynienen heart Daam in gelûd. Under de steger ferweecht wat. Daam skuort Ferhipke gau werom. 'Tink derom, dêr sit ien ûnder!' lústeret er.
Hoeden rinne de bern nei de sydkant en mikerje troch in skreef nei it donkere wetter. Ja, dêr ferweecht wat! Se kinne it net goed sjen. Stiif stoarje se it tsjuster yn.

Ferhipke heart hoe't Daam de siken ynhâldt. 'Wat sjochste?' Daam is eefkes stil, en ûnwis lústeret er: 'Ik seach wat glinsterjen. Wat reads. Eefkes miende ik, it wie de fibula. Mar dat kin net, wol?'

Nee, tinkt Ferhipke ek. Dat kin net.

Dan hearre se wat. 'Psjt. Psjt.' Hiel súntsjes.

Hoeden bûge de bern noch mear foaroer. In slangeftich figuer komt stadich omheech.

Daam en Ferhipke wolle al fuortfleane. Mar se hearre it wer, hiel súntsjes: 'Psjt, net fuortgean!'

Ferhipke knypt Daam fûl yn 'e earm. Daam krûpt nei foaren. As Daam doart, dan doart sy ek. Se krûpt efter him oan. Wer lyk oan 'e râne fan 'e steger ta.

De bern sjogge in slangekop stadich, oerstadich, boppe de râne út kommen. In freonlike slangekop mei hiele leave eagen!

'Stil,' lústeret de slangekop. 'Stil, oars wurde de oare seis wekker. En dy meie net witte dat ik mei jimme praat.'

'Hokker oare seis? Binne jim mei jim sânen?'

'Ja,' antwurdet de kop. 'Mei sân

koppen binne wy. Wy binne meiinoar ien meunster, it sânkoppich meunster dat fan Grendel hjit.'

Grendel! Dy namme hawwe de bern al earder heard! De leave kop lústeret fierder.

'Der binne wol mear sânkoppige meunsters, hear. Dat is op himsels net safolle bysûnders.'

No, dêr tinke Daam en Ferhipke oars al hiel oars oer! Se fine sânkoppige meunsters hiel, hiel bysûnder en boppedat alder-, alderysbaarlikst! Allinnich dizze leave kop fine se net yslik.

'Guon binne kwea mar de measten binne leaf. Allinnich wy binne wol hiel bysûnder omdat wy beide tagelyk binne. Wy binne kwea en leaf tagelyk!'

De bern harkje mei omtinken. Wat in apart ferhaal! Ien bist dat kwea en leaf tagelyk is!

'Mar it is oars al ûnearlik ferdield want ik bin de iennichste kop dy't leaf is. De oaren binne falsk en gemien.'

De leave slangekop suchtet eefkes en jout him op de râne fan 'e steger del.

Daam en Ferhipke binne derôf. Se witte net wat se sizze sille. Hoe kin dat no, dat jo sels leaf en goed binne en dat de oare koppen gemien en falsk binne? Wat bist dan sels? Se sjogge elkoar oan. 'Krekt as wannear'tsto gemien bist en ik leaf,' lústeret Ferhipke kjel.

'Of oarsom,' lústeret Daam werom.

Ja. Dat liket Ferhipke sa slim noch wol.

'Mar wat bart der as de oare koppen wekker wurde?'

Grendel tilt de kop op. Har eagen steane ynienen sa wurch ... 'Dan hâld ik my stil, of ik praat like gemien as harren. Oars dan bite se my de kop ôf!'

'Ja wier?' freegje de bern mei grutte bange eagen.

'Stjerrende wier,' ferfettet Grendel. 'Wat oars. Se wolle dochs net ferret wurde ...'

Daam en Ferhipke hâlde har stil. Se hawwe it foar 't ljocht.

'En witte jim wat it alderslimste is? Net ien wit dat ik in leave kop bin. Want as wy meiinoar op rôverij út binne, dan doch ik gewoan mei.'

'Mar dat is ... do bist dus ek gemien!' ropt Ferhipke.

Daam jout har gau in dúst. 'Sst! Dalik wurde dy oare koppen wekker!' Ferhipke hâldt har gau stil.

'Fynst my ek gemien?' Grendel sjocht Ferhipke oan. Der falt in grouwe sânkoppige trien yn it sâlte seewetter.

It begruttet Ferhipke. 'No, eh, ja, eh, nee, ik wit net. Ik fyn it sa nuver!'

Grendel lit in djippe sucht. 'Ja, it is ek apart. Mar witste, as myn kop derôf giet, bliuwt der in Grendel

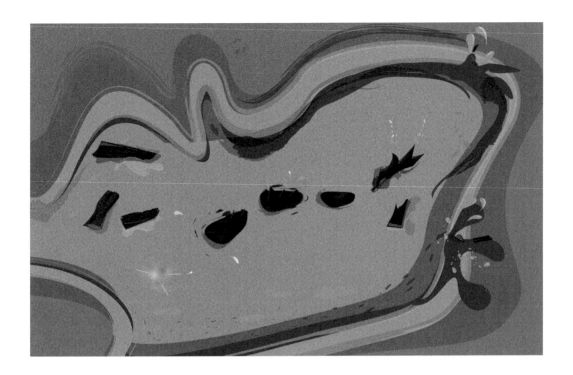

oer dy't noch falsker is. Dan hat er
inkeld noch mar gemiene koppen.
Begrypste. Dat ik bliuw mar ...'

It leave meunster is eefkes stil. Se
rekt de lange hals út, krekt as wol
se de fertrietlike tinzen fuortjeie.
Dêrnei seit se: 'Ik bin bliid dat wy
eefkes praat hawwe. Mar as de
oaren derby binne, moatte jim
oppasse foar my! Dan bin ik sa leaf
net.' Nei dy wurden glidet se fan 'e
steger ôf.

Wer sjogge de bern wat reads
glinsterjen yn it donkere wetter.

Grendeltsje mei ferlos

De oare deis is it moai waar.
De bern fan it doarp hoege net
te wurkjen en se boartsje op it
doarpsplein.

Se binne der allegear op ien
nei. Luva is siik. Se is juster
dweiltrochwiet wurden doe't se
in ko út it wetter wei jage. De ko
is rêden mar dy earme Luva is
sa ferkâlden wurden as in snip.
No leit se ûnder in bult waarme
hûden. Se fielt gleonhjit. En dochs
trillet se deroer. Se klaget dat se
sa kâld is. Ferhipke wol nei har
kammeraatske ta. Mar dat wol
Luva har mem net lije. 'Kinst better
net by Luva komme, leave. Aansen
bist sels ek siik. Mar ik sis wol tsjin
Luva datst west hast. Dêr is se grif
hiel wiis mei.'

Ferhipke rint werom nei it plein
dêr't alle bern binne. Hiddo ropt:

'Wy kinne wol eefkes Grendeltsje
mei ferlos!' Hiddo hat altyd goeie
ideeën. De bern geane gau yn
twa ploegen: de grendels en de
skatbewarders.
Daam sit by de grendels en Ferhipke
sit by de skatbewarders. Beide
groepen hawwe in honk, dêr bist
feilich. De grendels hawwe in âlde
ikebeam as honk. De skatbewarders
hawwe in elzeboskje as honk.

[De skatbewarders hawwe in skat
dêr't se fansels noed foar stean
moatte. It is in prachtige fjoerreade
diggel, dy't yn 'e sinne skitteret as
in jewiel. De skat leit ferstoppe yn
in holle wylch, dy't midden yn it
fjild stiet.

De grendels besykje om de skat te
stellen en de skatbewarders besykje
om de dieven finzen te nimmen.
Ferhipke hat hast in grendel te

pakken dy't in bytsje te ticht by de skat komt. Mar hy kin har krekt ûntkomme! Gau draaft de grendel wer nei syn honk.

Spitich, hy is ûntkommen. Mar gelokkich, de skat is noch feilich. Ferhipke is har ûngerêstens om Luva gelokkich hielendal kwyt. Se himet en pûst mar se kin net bekomme. Se moat de grendels fange! Se fljocht sa hurd as se kin en alle oare skatbewarders fleane en roppe mei.

It spul duorret lang. De beide ploegen binne like sterk. Mar úteinlings binne de skatbewarders dochs sterker. De grendels wurde wurch en ien foar ien falle se de skatbewarders yn 'e hannen.

Alle grendels binne fongen. De skat is rêden!

Hymjend sitte de bern op 'e grûn. Se fûnen it moai, mei de twa gasten derby. De bern fertelle elkoar hoe hurd oft Daam drave kin. Hy hie de skat hast te pakken! Daam eamelet mei en snijt op oer alle hurddraverijen dy't er op skoalle wûn hat.

Mar Ferhipke is stil. Se is djip yn 'e tinzen wei. Mei in prikje tekenet

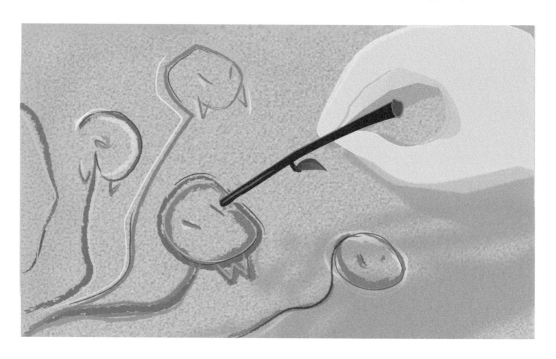

se wat op 'e grûn. Samar fansels ûntstiet der in tekening fan in meunster mei sân koppen.

'Daam ...' seit se.

'Ja ...' seit har broer.

'Wêrom boartsje se hjir eins grendeltsje mei ferlos ynstee fan diefke mei ferlos, krekt as ús?'

'No, gewoan. Omdat hjir grendels libje. En dy pikke tink graach moai guo...'

Ynienen set er grutte eagen op. 'O Ferhip!!!' ropt er. Eltsenien sjocht him oan.

Ferhipke hompt Daam yn 'e side. Neat sizze, betsjut dat. Daam begrypt it.

Hjir boartsje se grendeltsje mei ferlos. En it giet krekt as diefke mei ferlos. Soe dat faaks wêze omdat grendels moaie glimdingen stelle? Krekt as dieven? De beide bern tinke oan dat reade skynsel dat se sjoen hawwe, dêr yn it tsjuster fan it wetter. Wa

wit wie it dochs de fibula dêr yn dat wieljende tsjuster, ûnder de stegers.

Ferhipke lústeret: 'Giest moarn mei te sjen?'

Luva is siik

Dy jûns komt de mem fan Luva nei it Hege Hûs ta. Se komt te sizzen dat har bern siik is en help hawwe moat. Dat dogge memmen allinnich as it hiel slim is. As Luva har mem ôfset is, barst Ingela yn triennen út.

'Dêr is 't al sa! In bern siik en ik kin neat! Aansen giet dy earme Luva dea, en dan is it myn skuld! Wat freeslik!'

Ferhipke skrikt wakker en ropt: 'Nee ommers, de kjeld giet har allinnich mar troch de lea! As se in sinaspriltsje nimt, is se samar wer klear!'

Ingela skodhollet. 'Klear? Mei sinaspril? Nee, dat bestiet net.'

'Ik moat echt alle dingen dwaan dy't men foar sike bern docht.

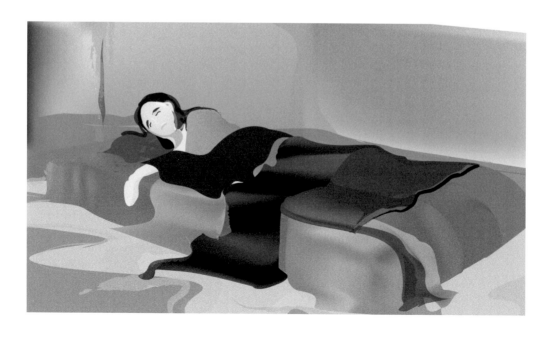

40

Ik haw dy dochs ferteld fan dy krûden en it waarme wetter en alles? Dat is it iennichste dat helpt.' Ingela suchtet djip. 'Mar sûnder fibula kin ik dat net. It wurket gewoan net.'

Ferhipke sjocht Daam oan. Hy seit: 'Ik haw foar de fekânsje in wurkstik makke. Oer lytse bistjes dy't jo net sjogge. Bakketrinen of soks. Of bakkegriten, ik wit it net mear. Dy bistjes meitsje jin siik. En as jo alles goed himmelje, helpt dat. Ik tink dat dy krûden de bistjes ek deadogge. En waskje is ek in goed ding en de hûden útklopje. Want dy wurde sa smoarch as wat. En as se ferskes sjongt, dat is gewoan noflik as jo siik binne. Dat docht mem ek as wy siik binne. Allinnich ik begryp net dat se dat allinnich mei de fibula kin.

Ferhipke rint fuort op Ingela ta. 'Keninginne Ingela,' freget se. 'Wolst it net besykje? Wa wit kinst it wol. Sûnder fibula ek. In siik bern waskje is altyd in goed ding. En de hûden wierje. Alteast, dat tink ik. En Daam ek.'

Mar keninginne Ingela skodhollet. 'Leave bern, jimme witte net wat de krêft fan in fibula is. Sûnder wurdt it him net mei my.' Daam en Ferhipke sjogge keninginne Ingela oan. Se is der wyt oer.

It is al bedtiid. De bern binne wurch. Meskien sliept Luva fannacht wol goed. Meskien fielt se har moarn wol better. En oars dan besykje Daam en Ferhipke moarn sels om nei Luva ta. Meskien kinne se sels wol dwaan wat Ingela altyd docht.

Mar it rint allegear hiel oars.

Ungewosken boeven

De oare moarns komt kening
Finn wer thús. Hy hat de
strûkrôvers fongen. Hy fûn
se doe't se besochten om yn
in farrensbak út te naaien. 'Se
waarden sa kjel as ien doe't myn
mannen deroan kamen. Mar se
krigen dy farrensbak net op 'e tiid
yn it wetter.'

Finn laket.

'Se treaune en treaune mar dy
farrensbak wie te swier. Gjin
niget. Hy siet fol mei stellen
guod. Allinnich … de fibula siet
der net by.'

Daam en Ferhipke harkje mei
sân pear earen. Ynienen begripe
se wat in farrensbak is. Dat is
hielendal gjin koffer om jins
guod yn te dwaan as men om
fierrens reizget! It is in boat!
Wat oars! In bak om yn te farren!

Wat in frjemde wurden brûke se
hjir!

Mar der is noch wat. De fibula wie
der net mear! Hoe kin dat no wer?

Finn draait him nei de bern ta.
'Binne jim wis dat dy mannen yn 'e
bosk de fibula hiene?'

Daam is der wis fan. Ferhipke ek.
Oer har wurden stroffeljend fertelt
se hoe't hy derút seach. 'Krekt as
dy spjelde fan keninginne Ingela,
mar fólle moaier! Hy wie fan
read en grien en alles glinstere sa
skitterjend!'

Daam krijt in goed idee. Hy freget:
'Mar binne it wol deselde mannen?
Wa wit binne it oare rôvers dy't yn
in boat útpike woene.'

'Mei in boat? Wat is in boat?'
freget kening Finn.

It geheim fan Grendel

Daam en Ferhipke rinne troch de bosk. Sûnt de boeven fêst sitte, doarre se wol. It is in alderhearlikste bosk mei geweldige klimbeammen, mar dat sjogge de bern net. Se tinke allinnich mar oan 'e fibula. Dy moatte se weromfine! Sa gau mooglik!

'Daam, neffens my hat Grendel de fibula.' 'Ja, meskien wol. Mar hoe dat sa, Ferhip?'

'No sjoch. Se boartsje hjir grendeltsje mei ferlos ynstee fan diefke mei ferlos. En de boeven hawwe de fibula net mear. En witste noch, yn 'e haven?'

Se witte it allebeide noch, dat reade skynsel, yn it djippe donkere wetter yn 'e haven. Grendel hat de fibula, dat mist se net.

'Mar, hoe kinne wy him weromkrije?'

'Hoe pakke wy in sânkoppich meunster wat ôf?'

De bern komme der net út. Se beslute om alles oan de kening en de keninginne te fertellen. Wa wit kinne se mei har fjouweren in oplossing betinke.

Gau geane se werom nei it Hege Hûs. Se freegje oan kening Finn oft hy mei de keninginne komme wol te praten. 'It is hiel wichtich,' seit Daam.

Finn komt. Mar keninginne Ingela kin net komme. Dy is net rjocht goed en leit op bêd.

O wat aaklik! Luva is noch altiten tige siik en no kin de keninginne net iens fan 't bêd komme! Se leit dêr mar. Hiel stil. Se sliept in protte. As se wekker is, harket se nei de fûgels dy't tsjilpe. Dat jout har treast, seit se.

De bern fertelle kening Finn oer it reade glinsterding dat se skimerjen sjoen hawwe yn it donkere wetter. En oer harren petear mei de leave slangekop. Finn wit net hoe't er it hat. 'Grendel mei in leave kop? Dêr haw ik noch noait fan heard.'

'Nee, dat kin wol,' seit Ferhipke dan. 'As de leave kop leaf docht, en de oare koppen hearre dat, dan giet har kop der fuort ôf! En dan hawwe jo in Grendel oer mei inkeld kweade koppen! Dus se docht net leaf! Allinnich as de oaren sliepe, is se leaf.'

'Wy hawwe gelokkich west dat wy mei har praten hawwe.'

Kening Finn prakkesearret. It is stil yn 'e keamer. Bûtendoar rûst de wyn troch de beammen. En yn 'e fierte polsket it seewetter ûnder de stegers. De stegers dêr't Grendel him ûnder ferskûlet, wa wit wol mei de fibula …

Finn sjocht op. Hy wit it net rjocht. Mar eefkes letter nimt er in beslút.

'It is in ferskriklike sitewaasje. Ik

moat derfoar soargje dat jimme neat oerkomt. As der wat mei jim bart, kin ik gjin kening bliuwe.'

Ja. Daam en Ferhipke knikke. Dat is sa.

'Mar as wy neat dogge, kin myn leave Ingela gjin keninginne bliuwe. En giet se as 't treft wol dea.'

'En Luva ek,' seit Ferhipke.

Dat is ek sa. De kening is wer stil.

Daam hat wol troch wêr't Finn mei komt. Alteast, dat tinkt er. Mar hy wit it ek net rjocht. Hy wit hoe gefaarlik oft it is.

'Kening Finn, ik begryp dy wol. Doarst it suver net te freegjen. Mar hopest dat wy beiden werom geane nei Grendel. En dat wy wachtsje oant de leave kop wekker is en it oare spul net.'

Finn knikt. Syn eagen steane ferlegen. Hy soe it yndie noait doarre te freegjen.

'Mar as wy mei leave Grendel prate en in oare kop wurdt wekker!' It giet Daam kâld oer de lea. 'Dan krije wy de fibula noait wer. Noait! It is sa ferskriklike dreech!'

Finn en Daam hâlde har allebeide stil. Se witte it ek net mear.

Mar ynienen wurdt Ferhipke hiel flink. 'Hark ris, Daam,' seit se beret. 'Wy sille wol moatte. Dy fibula moat gewoan werom!'

Daam en Finn sjogge Ferhipke allebeide oan. Se stiet foar harren, de hannen yn 'e side. Se sjocht Daam en Finn om bar oan. It is krekt as stjoere har eagen stikjes flinkens nei Finn en Daam ta. Men sjocht gewoan hoe't se opknappe!

Daam stiet no rjocht oerein. Hy rint nei syn suster ta en slacht de earms om har hinne. 'Ferhip, it is ek sa. Wy moatte it gewoan dwaan.'

De bern rinne de keamer út. Se sjogge net dat Finn, dy stoere kening Finn, in trien fuortfaget. In trien fan tankberens.

De opdracht fan Daam en Ferhipke

Daam en Ferhipke sitte wer op 'e steger yn 'e haven. No ferfele se har net! Se hawwe in Wichtige Opdracht! Se wachtsje ôf oft se ek wat hearre, yn it donkere wetter ûnder. As se wat hearre, moatte se foarsichtich sjen út te finen hokker kop oft wekker is. Mar se hearre noch neat. Allinnich it rûzen fan 'e see en it kriten fan 'e seefûgels. Soms dûkt in fûgel mei in ploems it wetter yn om in fisk te fangen. De steger kreaket in bytsje. Dat is alles.

Oeren geane foarby, der bart neat. De see komt op, en it is iterstiid. Thús sjocht kening Finn har freegjend oan. Stil skodzje de bern fan nee. Der is neat bard. Fertrietlik ite se mei syn trijen it jûnsmiel en dan sykje de bern yntiids harren sliepstee op.

De oare moarns sitte de bern wer op har plak. Mar no hoege se net lang te wachtsjen. Se hearre súntsjes wat risseljen. Gau ferstopje se har efter de heechste steger. Se kypje om it hoekje en sjogge in slangekop boppe de râne fan 'e steger út kommen. Wifkjend draait de kop yn 't rûn. Se sjocht de bern en sysket stiltsjes: 'Psjt.' Dat heart mar goed.

'Wês mar net bang hear, ik bin it,' seit de kop mei de leave eagen. Gau freget Ferhipke: 'Hawwe jim soms de fibula fan 'e keninginne?'

De leave kop skodhollet. 'Wy hawwe wol in fibula, mar dy hawwe wy pikt fan in ploech rôvers. Dus dat is net de fibula dy't jimme sykje. Mar hy is wol hiel moai, hear!'

Ferhipke gefaarlik is. Dat is ommers mar in famke mei in skepnetsje …

Leave Grendel sjocht Ferhipke wer oan. 'Sagau'tst de fibula yn dyn skepnetsje hast, krigest twa sekonden om fuort te kommen. Witst wat sekonden binne?'

Ferhipke knikt fan ja. 'Ja, dat is in bytsje langer as tellen. Mar al hiel koart.'

'Krekt,' seit Grendel. 'Krigest mar twa sekonden. Mear net. Dêrnei set ik it op in razen, as giet it om dea. Ik rop om help, dat de oare koppen nei my ta komme. Daam naait dan gau út.'

Daam en Ferhipke hawwe it yn 't snotsje. Se sizze goed ta dat se weromkomme sille, mei in swurd en in skepnetsje. Leave Grendel glidet wer ûnder de steger en de bern geane op hûs oan.

Yn it Hege Hûs fertelle se it plan oan kening Finn. 'Wat in goed plan,' wol dy hawwe. 'Dy leave Grendel is in tûk fanke!'

Sagau't Daam en Ferhipke har skepnet en swurd hawwe, sette se dat út nei de steger.

It gefjocht

As de bern wer by de steger komme, is it allegear brûzen en blazen ûnder it hout. It sânkoppige meunster is wekker!

Ien fan 'e koppen stekt boppe de steger út en ropt: 'Dêr is 't al sa! Dêr is dat rotbern, dat stik fertriet, dy misliksma!' De holle sjit nei Ferhipke ta en skuort har mei it wetter yn. Krekt ear 't Ferhipke fan 'e steger ôf rekket, sjocht se dat de kop knypeaget. Aldergelokst. Eefkes siet se deroer yn dat se troch in Gemiene Kop finzen nommen wie.

Daam bliuwt op 'e steger stean. Hy wachtet oant Grendel wat ropt oer syn swurd, mar der komt neat. Grendel hat it grif fierste drok dêrûnder. Dêrom lûkt er syn swurd en ropt sa lûd as er kin: 'Grendel! Kom foar 't ljocht! Ik bin weapene mei myn tsjoendersswurd en ik kom om de fibula! Jimme moatte

him fuortendaliks oan my weromjaan!'

Dan bart it hiel hurd. Seis blazende koppen komme boppe de steger út. Fan alle kanten tagelyk.

Daam hie hjirop rekkene mar hy wurdt al kjel. Seis Gemiene Koppen! Dat is in soad! Hy swingt mei it swurd en hy fjochtet wat er kin. Mar as er lofts in kop fuortjage hat, komt der rjochts ien op him ta. As er efter him wat snuven heart, draait er him as de wjerljocht om en docht in raam nei it meunster. Krekt op 'e tiid! Ynienen sjocht er út in eachhoeke in kop temûk nei syn fuotten glydzjen. Gau wâdet er sa fûl as er kin op 'e kop. Mâlgûlend glidet dy kop werom, it wetter yn.

Mar ... dat is nuodlik! De koppen moatte allegear boppe bliuwe!

Underwilens heart Daam ûnder frijwat razen en bearen. De Leave Kop docht krekt as fersûpt se Ferhipke. Ut en troch heart Daam Ferhipke roppen fan 'Help!' Mar hy heart oan har lûd wol dat se gjin help nedich is. Hielendal net!

Neffens Daam hawwe Leave Grendel en Ferhipke dêr ûnder stikem wille as wetter! As se mar avensearje ...

Stadich giet Daam fjochtsjendewei nei in hoeke ta. De koppen komme stadichoan ek dat út fan 'e hoeke. Dat betsjut dat Ferhipke in frije hoeke fan 'e steger brûke kin. Sa kin se feilich fuortkomme, dalik. Daam himet deroer. Hy hopet dat Ferhipke hast safier is. Want dit hâldt er net lang mear fol. Gau tinkt er oan Luva en Ingela. Dat jout him wer nije krêft.

En dan is it ynienen ho. Daam heart de Leave Kop razen.

'Alle heins op it dek! Dy boarterij mei dat fintsje dêrboppe moat ôfrûn wêze! Jimme litte my alle swiere wurk dwaan. En no is dat

aaklike falske rotbern my dochs noch ûntkommen!'

Daam syn hert slacht in kear oer en noch ien kear rameit er de seis meunsterkoppen fan him ôf. De koppen wolle it sa wol leauwe en wurde blazend wei nei ûnderen. Dêr wurdt noch mear spatten en dien. It is in leven fan komsa.

Se binne fuort. Daam is feilich.

Ynein siicht er yn elkoar. Hy sjocht Ferhipke kletsend by de steger op klatterjen. Pûstend draaft se fuort mei har skepnetsje. Mei muoite komt Daam oerein en hy drafket efter har oan.

As se bûten it berik fan Grendel binne, litte se har ploffe. Se hymje en blaze en it hert slacht har as in lammesturt. Se kinne net iens prate ...

Nei in setsje bekomt it hymjen wat. Stadich komme de bern oerein. Se stekke allebeide de hân út nei it skepnetsje. Troch it gaas hinne sjogge se de fibula út 'en readens skinen. Tagelyk rikke de hannen fan 'e bern yn it netsje, en tegearre helje se de fibula foar 't ljocht.

Stadich lizze se de spjelde tusken har yn op 'e grûn. Se wurde hiel stil.

Flonkerjend leit de fibula yn it gers.

Sa'n pracht, sa'n pracht!

Krekt op 'e tiid!

Daam en Ferhipke sitte in hiel skoft stil nei de fibula te sjen. Se lykje wol betsjoend. Ferhipke komt it earste by har sûp en stút en seit ynienen: 'Keninginne Ingela!'

Dat is ommers ek sa! Dy earme keninginne kin de fibula net misse! No't se him yn 't echt sjoen hawwe, begripe de bern dat skoan. Ingela moat de fibula hawwe om better te wurden! En dêrnei moat se fuort Luva better meitsje! Gau tropje de bern de fibula wer yn it skepnetsje en se drafkje nei it Hege Hûs.

Se geane drekst nei de sliepfertrekken fan 'e keninginne. Se klopje op 'e doar mar as de keninginne gjin azem jout, geane se der dochs yn. Eins mei it net mar dit is te wichtich!

De keninginne sliept. Har wite, swakke hannen lizze op 'e kowehûd dy't har waarm hâldt. Sêft nimt Ferhipke de teare hân op, en leit de fibula deryn. Se teart de leave fingers fan 'e keninginne om 'e moaie spjelde hinne. Wa wit fielt de sliepende keninginne dat de fibula der wer is!

Dan geane de twillingen oan 'e fuottenein sitten te wachtsjen oant Ingela wekker wurdt.

Nei in skoftke stjit Ferhipke Daam oan. Daam knikt. Hy sjocht it ek.

Keninginne Ingela is sa wyt al net mear om 'e noas. Har hannen sjogge der sterker út. Soe de fibula har better tsjoene? It liket sa wol.

Bliid hâlde de bern de eagen op 'e keninginne. Faaks wurdt se daliks wol wekker!

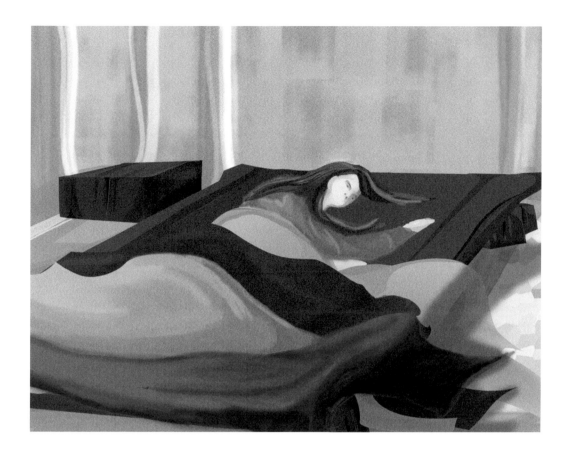

Dan sjogge se hoe't Ingela har hannen stadich en hiel sêft de fibula aaie. De keninklike eagen trilje eefkes. Se geane iepen. Ingela sjocht de bern oan. De bern sjogge de bliidste, lokkichste eagen fan 'e hiele wrâld.

No kinne se har net mear ynhâlde. Se springe op it bêd, en jûchheie en laitsje, se dûnsje en falle Ingela om 'e hals. Ingela sjongt mei, en spjeldet harsels de fibula op it nachthimd. Se strielet en eaget alhiel net mear siik!

As de bern har wurch tjirge hawwe, freegje se: 'Wêr is kening Finn?'

Ingela krijt de skille dy't neist it bêd stiet. Se klingelet der lûd mei. De bern hearre doarren dy't iepen en ticht slane. Swiere stappen sette op 'e sliepkeamer ta. De doar fljocht iepen en dêr stiet Finn. Syn eagen strielje! Hy wit al dat der wat moais te rêden is. Syn leafste Ingela hat skille! En fan 'e moarn koe se dat noch net mei har sloppe hannen!

Finn sjocht de fibula op har nachthimd. Hy laket bliid. Ynienen sjocht er der sa leaf út. Hy rint nei in hoeke fan 'e keamer. Dêr leit in prachtige, sêfte wollene mantel. De Echte Keninginnemantel. Ingela hat him al dy tiid net oan hân. Sûnder de fibula koe dat ommers net. No krijt Finn de mantel hoeden op. Hy rint nei it bêd. Ingela komt oerein. Finn leit mei hiele teare hannen Ingela de mantel om 'e smelle skouders. Dan makket er de fibula los fan it nachthimd en spjeldet him op 'e mantel.

Ingela strielet! Se is wer keninginne!

Kening Finn tilt keninginne Ingela op. Hy nimt har mei nei de grutte hal. Daam en Ferhipke hippelje bliid efter him oan. Yn 'e Grutte Seal set er har wer op 'e grûn. Hy jout har in grouwe tút

en Ingela giet oe sa foarnaam op har troan sitten. Har antlit stiet steatlik. De minsken dy't der allegear yn stowen komme, wurde stil fan bewûndering as se har sa prachtich sitten sjogge.

Dêr sit harren keninginne!

Mar ynienen spat keninginne Ingela oerein. 'Joehoe!' jûchheit se. Eefkes sjocht se as in hiel ûndogensk famke!

En nochris jûchheit se: 'Joechhei!'

En: 'Hup sûpengroattenbrij!'

En like hurd stiet har gesicht wer sa't it heart, foar in keninginne.

Ingela, de tsjoenderskeninginne

Ferhipke komt nei foaren. 'Keninginne Ingela, myn kammeraatske is sa siik. Wolste asjeblyft, asjeblyft gau komme?'

Ingela spat oerein. 'It is ek sa. Toe gau, wy moatte Luva rêde ear't it te let is.' Se draait har om nei har tsjinders. 'Mannen, helje myn tsjoenderskrûden. En myn keninginnebekers. De potten mei hyt wetter net ferjitte. Soargje dat alles ree stiet, bûtendoar. Ik kom deroan!'

Tweintich man fleane hinne en wer en eefkes letter steane se allegear yn 'e rige, klear om nei it hûs fan Luva ta. It is in pracht gesicht. Guon manlju nimme de tsjoenderskrûden mei. Dy binne yn moaie kleurde linten bewuolle. Se rûke alderhearlikst. Oaren tille de potten mei hyt wetter. De dampen kringelje omheech. It liket wol as sweevje der lytse tsjoenderswêzentsjes boppe it wetter. Wer oare manlju tille de tsjoendersbekers mei kreaze kleuren en alderhanne foarmen.

De optocht giet troch de buorren. De manlju rinne stadich. Dat heart sa omdat jo oars tsjoenderskrêft grieme. Mar Daam en Ferhipke drave foarút. Se kinne net mear wachtsje. Se komme by Luva har hûs en roppe de hiele tiid dat de keninginne deroan komt. Se hoopje dat har kammeraatske it heart.

Luva har mem heart it al. Se komt nei bûten ta. Se slacht de hannen yn elkoar en der giet in blide glim oer har gesicht. Jo kinne sjen hoe bot oft se deroer yn sitten hat

want se is ynwyt. Mar no sjocht se fleurich.

Nei in skoftke komt de optocht ek. Alle manlju geane deryn. Luva leit mei de eagen ticht op bêd. De tsjinsters sette de bettermakkersdingen om it bêd fan it sike bern hinne. Dan geane se kalm wer nei bûten ta. No giet keninginne Ingela deryn. Allinnich. Wat der binnendoar bart, wit net ien, sjocht net ien. Allinnich Daam en Ferhipke witte it al. Keninginne Ingela hat it ferteld.

Bûten rûke jo dat de krûden ferbaarnd wurde. Der krinkelje lytse tûfkes reek ta it dak út en de tsjoendersrook giet oer it hiele doarp. De manlju bûge de holle. Dat heart sa, as de roken út it hûs wei stige. Mar Daam en Ferhipke sjogge en harkje nijsgjirrich nei alles wat der bart.

Se hearre Ingela preuveljen en súntsjes reauntsjen. De twillingen witte dat se Luva sêft de holle streaket. Twaris sân kear. Se hearre hoe't de keninginne mei

de bekers omtysket. Se jout Luva tsjoendersguod te drinken. Dan komt se nei bûten ta. 'It is tiid om Luva te waskjen,' seit se hiel steatlik.

Luva har mem mei der no mei yn. Wylst Luva mei waarm wetter wosken wurdt, nimt har mem de hûden mei derút. Se ferpartet de hûden oer de manlju.

De sterke manlju slane de hûden út. Ek wer twaris sân kear. Wat in bulte stof komt dêrút! 'Allegear bakkebisten,' lústeret Daam. 'Luva wurdt no grif better.' Ferhipke knikt fan ja. Se wol wol laitsje en gûle tagelyk. Se hat sa yn noed sitten!

As alle hûden goed útslein binne, draacht Luva har mem se der wer yn. It is no hiel waarm binnendoar. Dat komt fan al it hite wetter en it brânen fan 'e krûden. Dat is goed foar Luva. Ingela bestoppet har sêft mei de skjinne hûden. By elke hûd seit se: 'No joust dy del. Moarn bist in stik better. No joust dy del. Moarn bist in stik better.' Hieltiten op

'en nij. Luva falt yn 'e sliep by de
tredde hûd.

De oare moarns komt Luva har
mem nei it Hege Hûs. Se giet oer
de grûn lizzen en tutet Ingela
de fuotten. 'Luva is fan 'e moarn
wekker wurden en se frege om sop.
No wurdt myn famke wer better.'

Ingela hâldt net fan dy
knibbelderij. Dat fynt se
oerdreaun. Se krijt Luva har mem
by de hân en helpt har oerein.
De froulju steane neist elkoar. Se
sjogge elkoar bliid oan. Yn harren
eagen sjogge jo de glâns fan de
fibula.

Daam en Ferhipke dûnsje yn 't
rûn. 'It is slagge! It is slagge!'

'En no is it feest!' bolderet Finn.

It heldeliet

Der komme tsjinders yn mei skûtels fol iten. Der komme manlju te muzykmeitsjen en froulju dy't prachtich sjonge. Se sjonge oer de fibula, hoe't dy stellen wie en no wer weromfûn is.

Fibula fibula fuort wiesto
fuort wiesto
fuort wiesto
Fibula fibula fuort wiesto
Moai dat wy dy wer ha!

Daam en Ferhipke fûnen him
fûnen him
fûnen him
Daam en Ferhipke fûnen him
't Gefjocht foel lang net ta!

Ingela is no o sa bliid
o sa bliid
o sa bliid
Ingela is no o sa bliid
Har tsjoenen wol wer sà!

En sa giet it mar troch. It wurdt in prachtich liet mei alle aventoeren deryn. De minsken sjonge it hieltiten op 'en nij en alle kearen wurdt it liet moaier en spannender! De nammen fan Daam en Ferhipke wurde iderkear neamd. Dat eltsenien wit, wa't de helden fan it ferhaal binne. It is in echt heldeliet.

De minsken laitsje en ite en drinke en rinne fleurich om. Mar Ferhipke sjocht dat Daam syn eagen út en troch dreamerich wurde. Krekt as is er yn 'e tinzen wei. Krekt as sjocht er wat yn syn holle. Wat wichtichs. Ferhipke let der mar net op. Daam hat dat sa út en troch. En yn 'e regel hat er dêrnei wat snoads betocht. As der wat is, seit er it wier wol.

It feest hâldt de hiele jûn oan. Ferhipke fermakket har ta de teannen út, se dûnset en huppelet fleurich yn 't rûn. Daam liket noch

hieltiten in bytsje ôfwêzich.

Dan, nei in hiel set, lústeret Daam Ferhipke wat yn 't ear. 'Harkris, Ferhip. Der is wat. Hasto it gefoel ek datsto de fibula earder sjoen hast? Itselde mar dochs wer hiel oars? Ik haw der hieltyd sa'n nuver gefoel oer. It giet mar net fuort.'

Ferhipke sjocht him oan. Unbegryplik. Ja, se hawwe de

echte fibula sjoen en de ferrustke fibula fan izer. Fierder wit se it net.

Daam sjocht wer foar him út en it feest giet troch. Mar nei in skoftke lûkt Daam Ferhipke oan 'e mouwe en lústeret: 'No bin 'k wis. Sagau't de moanne tefoarskyn komt, moatst mei my nei bûten ta glûpe.'

Eefkes is Daam stil. Dan lústeret er driuwend: 'It is wichtich!'

Yn 'e holle sjen

Ferhipke ûnthjit dat se mei him gean sil. As Daam soks seit, dan is it tinken.

Troch it gat yn it tek sjocht Ferhipke dat de moanne foar 't ljocht kom. Daam hat it ek sjoen. Temûk glûpe de bern troch de feestjende kliber nei bûten ta. Net ien sjocht it.

As se bûtendoar binne, krijt Daam syn suster by de hân en draaft nei de bosk. De bern fleane dwers troch de bosk, oer beamstobben en troch kûlen. Blêden swypkje har yn 't gesicht mar dat fernimme se net iens. Se fleane by ikkers lâns en sleatten en se hâlde gjin ho. Se stowe oer it paad dêr 't se oer kommen binne, hielendal yn 't earst.

By de hoeke bliuwt Daam pas stean. 'De eagen ticht, Ferhip. Djip sykhelje. Sjoch dysels yn 'e holle. Sjochst wat?'

Ferhipke sjocht neat.

Daam sjocht it grutte boerd mei gatten, dêr 't se doe trochhinne

sketten binne. Doe't se yn 'e auto sieten, ûnderweis nei it Slotsje. En hy sjocht dat it boerd itselde is as de fibula mar allinnich folle grutter. 'It is in reuzefibula! Dat mist my net!' Hy sjocht it gatteboerd mar faachwei, krekt as is it yn 'e mist. Mar Ferhipke sjocht neat. Se begrypt it ek net.

'Kinne wy dan werom?' freget Ferhipke. Ynienen is se slim ûnwennich fan thús. Daam wit it net. Hy sjocht allinnich mar dat wondere gatteboerd yn syn holle. En hy wol dat Ferhipke it ek sjocht.

Hy hat sa'n belangryk gefoel. Wêrom wit er ek net. It baarnt Ferhipke yn mar Daam seit dat se stil wêze moat. 'Sjochst it allinnich ast' hiel rêstich bist. Doch it nochris. Eagen ticht. Nerges oan tinke.' Daam hâldt Ferhipke har hân beet mar se sjocht wer neat.

Dan hearre de bern oerallige lûden efter harren. Se binne útfûn! Kening Finn komt deroan draven mei syn mannen. Keninginne Ingela rint der mei har moaie wapperjende jûpen in eintsje

efteroan. Har fibula glânzget yn it moanneljocht ...

Finn ropt. 'Daam! Ferhipke! Wêr binne jim no? Wy binne noch lang net klear mei feestfieren. Kom gau werom, it wie krekt sa gesellich!'

Mar de bern wolle net wer werom. Se wolle nei hûs. Samar ynienen wolle se freeslike graach nei hûs. Se fine kening Finn en keninginne Ingela hiel leaf. Se binne sa bliid as in protter dat Luva wer better wurdt. Mar se wolle dêrwei. Nei hûs ta. No.

'Toe gau,' lústeret Daam. 'Eagen tichtdwaan, djip sykhelje. Nerges oan tinke. Binnenyn de holle sjen.'

Ja! No sjocht Ferhipke ek wat. Hiel dizenich, hiel fierôf liket it. O nee, it is net fier mar tichtby. It is allinnich mar yn in hiele tsjokke mist. Daam sjocht syn suske mei spanning oan. Hy sjocht oan har dat se wat sjocht. Fuortendaliks wit er wêrom't it sa wichtich wie. In stimke yn syn holle seit fan 'Springe!'

'Spring,' lústeret Daam Ferhipke fuort yn 't ear. 'No springe, sa heech ast kinste!' Hy krijt har hân en makket in oanloop. Mei har beiden springe se.

Se springe erges op ta dat se inkeld yn 'e holle sjogge.

sjocht heit oan. 'Hearst dat, Daan?
Wat kinne dy bern wat fertelle.
Hoe kin dat?'
Heit Daan klaut him efter it ear.
Hy begrypt it ek net. De bern wolle
noch folle mear fertelle. Dat heit
en mem it begripe. 'Mar earst
ranje,' seit heit.

Nei de ranje rinne se mei
har fjouweren werom nei it
gatteboerd. It stiet no fleurich yn
'e sinne te glinsterjen. Der stiet
in buordsje foar. De bern lêze dat
it in monumint is. Ta eare fan
de echte fibula dy't dêr fûn is,
yn 'e grûn. De fibula is yn it grut
neimakke.

'Dus it is echt in reuzefibula!'
Strieljend sjocht Ferhipke har
broer oan. 'Daam! Hoe wisto dat?'
Daam wit it ek net. Hy wist it
samar.

Hy fertelt hoe't it gien is. 'Wy binne
dertrochhinne fallen, doe't heit de
bocht sa skerp naam, heit. En doe
bedarren wy by kening Finn. Ja, dat
wie oars al in eintsje fierder. Dat
wie hjir net. En alle huzen fan no
wiene der ek noch net.'

Daam rint yn 't rûn as in echte
toeristyske gids en hy wiist heit
en mem it paad oan. Se rinne oer
it Fiskerspaad en meitsje in bocht.
'Dêr,' wiist Daam, 'sjogge heit en
mem dy hichte dêr? Dêr stiet it Hege
Hûs fan Finn.' 'Ja,' docht Ferhipke
derby. 'No ja, stiet? Stie, silst
bedoele!'

'En dêr …' Se draait har om. 'En dêr is
de bosk dêr't de strûkrôvers húsm…'
De mûle falt Ferhipke iepen. 'Wat in
lyts suterich boskje, sis. Daam, sjoch!
Dat wie dochs wier in reusachtich
wâld?' Daam knikt fan ja.

'En de see dan? Wêr is de see bleaun?
Dy kaam faak omheech, oant by it
Hege Hûs.'

Mar der is gjin see te sjen. Wat
alderraarste nuver allegear! Daam
en Ferhipke hâlde stiif fol dat der see
wie, fuortby. Se rinne in eintsje troch
en wize it plak oan dêr't de haven wie.

Heit en mem kinne der net oer út.
Mem seit dat it allegear sekuer
kloppet. 'Jimme hawwe gelyk. Lang,
lang lyn kaam de see hjiroan ta! Dat
kloppet! En der wiene hjir huzen,

hjirre, op dy hege terp! Dêr hawwe hiel lang huzingen west.'

Mem is ôfgryslike grutsk op 'e twillingen.

'Jim hawwe yn in oare tiid west, hiel lang lyn. Folle mear as tûzen jier lyn! Hoe't it kin, wit ik net.

Mar it is allegear wier, wat jim fertelle. Ik haw it yn in boek lêzen, mar jim hawwe it echt sjoen. It is geweldich!'

Se krûpt de bern oan en se geane meiinoar op hûs yn. Itensiede. De bern ite as wolven. Dêrnei binne se sa ynein dat se fuort op har eigen

bedsje rôlje en yn 'e sliep falle.

En dan begjint it gewoane libben wer. Ferhipke boartet in soad op 'e souder. Dêr betinkt se allegear spannende ferhalen oer keninginnen en meunsters. Daam boartet in protte bûtendoar. Sûnt syn sprong troch de fibula is er oan it heechspringen. Hy kin al oer in tou, sa heech as himsels.

ÔFRÛN

Oer dit boek

In protte dingen yn dit ferhaal binne wier bard. Guon dingen binne wy net wis fan. It ferhaal giet oer in tiid, hiel lang lyn. Dy tiid neame wy de midsieuwen. Of, noch wat krekter, de iere midsieuwen. De tiid dat Daam en Ferhipke by kening Finn en keninginne Ingela útfanhûs binne, is tusken 500 en 650 nei Kristus. Hiel sekuer wit ik it net.

De fibula yn it ferhaal bestiet echt. Kinst him besjen yn it Frysk Museum. En der hawwe echt minsken wenne op 'e terp yn it ferhaal. No binne dêr gjin huzen mear, it is boerelân. Sjochst noch goed dat de terp heger leit. De huzen seagen der echt sa út, mei yn 'e midden in heger hûs. Se waarden makke fan hout en liem en se hiene in reiden tek.

De see wie folle tichterby as no. En de minsken giene faak yn har boaten, o nee, farrensbakken, op reis.

De lju yn dy tiid makken wurden dy't wy no suver snoad fine. In lichem, dêr seine se tsjin fan 'bonkehûs'. De sinne waard de wrâldkears neamd. In farrensbak betsjut boat, in bak om mei te farren. In bliidmakkersding is in presint, in ding dêr't men ien bliid mei makket. Farrensbak en bliidmakkersding haw ik sels betocht. Om dy sjen te litten hoe't se yn dy tiid wurden makken.

It wurd 'hipi' op 'e drinkbeker is echt fûn yn Wina Walda Haim, allinnich net op in drinkbeker mar op in hingerke. It wurdt echt útsprutsen as 'hiwi'. En dat wurd kinst wer in bytsje weromsjen yn it Nederlânske wurd 'huwelijk' en it Fryske houlik.

Yn 'e tiid fan kening Finn koene de gewoane lju net lêze. Inkeld de foaroanmannen koene lêze. Dêrom songen de lju in protte. Se songen oer wichtige barrens. Sa koene se dy ûnthâlde. De lju songen graach oer dappere dieden fan dappere helden. Heldegedichten en heldelieten besteane dus echt.